MISSION MONTAGNE POUR FJORD !

Caroline Elliott

Illustré par Evgenia Malina

Gazex

Poste de secours

Piste difficile

Snowpark / Espace Freestyle

Tire-fesses / Téléski

Piste intermédiaire

Restaurant

Canons à neige

Usine à neige

Réservoir d'eau

Station météo

Télésiège

Hébergement

Billetterie

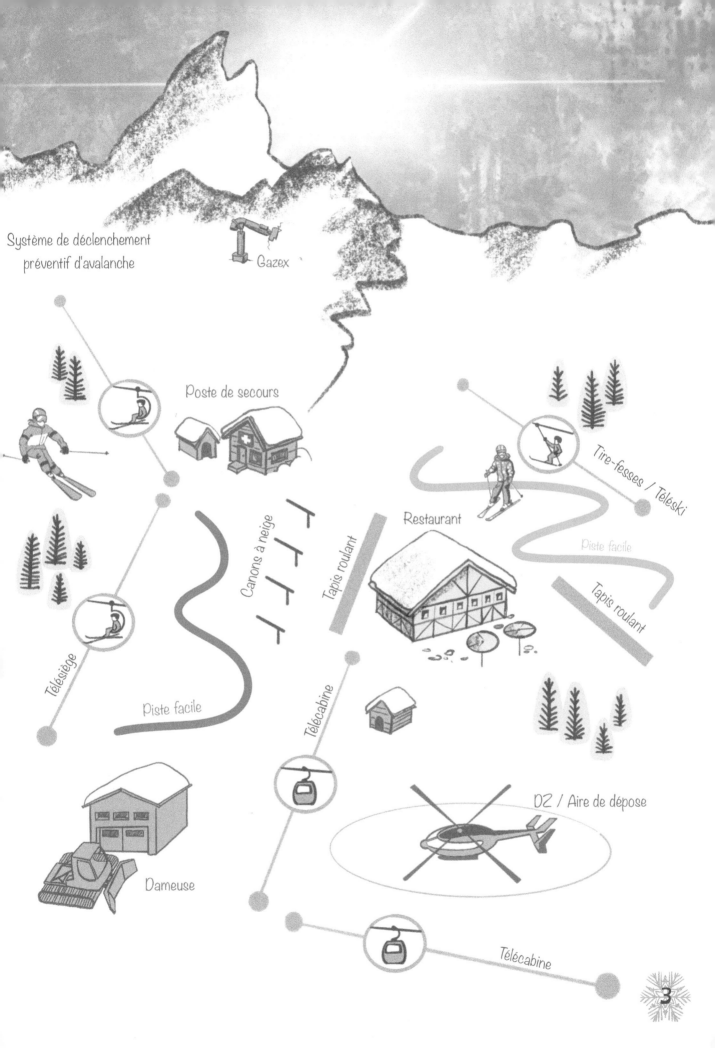

Système de déclenchement
préventif d'avalanche

Gazex

Poste de secours

Tire-fesses / Téléski

Restaurant

Piste facile

Canons à neige

Tapis roulant

Tapis roulant

Télésiège

Piste facile

Télécabine

DZ / Aire de dépose

Dameuse

Télécabine

3

Première édition 2022

Illustrations par Evgenia Malina

www.evgeniamalina.com

Mise en page par Dale Rennard

Traduit par Muriel Cayla

Imprimé en Grande-Bretagne par IngramSparks

Une notice catalographique CIP de cet ouvrage est disponible à la Bibliothèque britannique.

ISBN 978-1-7398135-3-6

Remerciements

Merci à :

Cathy O'Dowd, de m'avoir encouragée à mener à bien ce livre.

Hilaree Nelson, une vieille connaissance de Chamonix, de m'avoir inspirée par ses innombrables aventures.

Dave Kuhn, le responsable du service des pistes à Thredbo en Australie, où j'ai démarré ma carrière.

Fred Faget, le responsable de longue date du service des pistes à Gourette, dans les Pyrénées : merci de m'avoir guidée tout au long de ma carrière de pisteur secouriste.

Renaud Lobry, de m'avoir accompagnée dans l'éducation à la pratique de la neige pour les plus jeunes.

Cindy, pour son soutien et m'avoir fait croire en moi.

POLO et Aurore, mes compagnons de chambre au CERS, lors d'un séjour d'intense rééducation de mon épaule blessée, où nous avons partagé douleurs et fous rires.

Evgenia Malina, mon incroyable illustratrice qui a su donner vie à mon histoire, avec ses magnifiques dessins.

Dale Rennard, mon très patient infographiste qui, par ses encouragements, m'a aidée à faire de mon rêve une réalité.

Et un merci particulier à ma si belle maman et meilleure amie Joan Elliott, une institutrice à la retraite, qui fut la première à me faire connaître la montagne et qui a cru en moi et en mes rêves tout au long de ces années.

L'achat de « Mission montagne pour Fjord ! » aidera à éduquer les plus jeunes aux plaisirs de la montagne. Une partie des bénéfices sera reversée à notre œuvre de bienfaisance Fjordsar CIC.

A mes nièces et neveux, et à tous
les enfants qui entreront dans le
merveilleux monde blanc de l'Hiver.

Mes amies humaines

Marion Poitevin
Secouriste Police CRS Montagne / Guide de Haute Montagne

Je m'appelle Marion Poitevin, j'ai 35 ans, je suis secouriste CRS montagne police, guide de haute montagne et maman. Avant j'étais une petite fille qui ne rêvait que de sommets enneigés et de parois rocheuses. Mes parents m'emmenaient partout dans la nature : parapente, voile, kayak, spéléologie, ski, randonnée, VTT, escalade et alpinisme. Être une petite fille n'était pas une excuse pour avoir plus froid, plus peur ou être plus fatiguée que mon petit frère ! Mes parents m'ont appris que les petites filles sont aussi capables que les petits garçons, alors je n'ai pas eu peur de me lancer dans le diplôme de monitrice d'escalade à 19 ans, de courir les montagnes et de devenir la 17ème femme guide en France à 29 ans. Nous sommes aujourd'hui une trentaine sur environ 1700 guides. Je n'ai pas eu peur non plus de devenir la première femme à rejoindre le Groupe Militaire de Haute Montagne en 2008, la première à devenir instructrice à l'École Militaire de Haute Montagne en 2012 et enfin la première secouriste CRS montagne police en 2016. Je n'ai pas eu peur mais j'ai beaucoup douté par moments car aucune femme n'avait jamais atteint ces emplois avant moi. J'aimerais que les petites filles et les petits garçons rêvent et atteignent leurs rêves sans limites, pareil·le·s.

 INSTAGRAM: @MarionPoitevin

Coralie Mermillod Blondin

Secouriste en montagne au PGHM de Chamonix Mont-Blanc / Guide de Haute-Montagne

Bonjour, je m'appelle Coralie. J'habite à Chamonix au pied du Mont Blanc dans les Alpes. J'exerce un métier où les femmes sont encore peu nombreuses : je suis gendarme et secouriste en haute montagne. Mon métier est dangereux mais c'est une vraie passion. Plusieurs fois par semaine, je m'entraîne avec mes camarades : ski, escalade, alpinisme, course à pied... Il faut être en forme pour ce métier ! D'autres jours, je réponds au téléphone, c'est moi qui reçois les appels au secours. Allô ? Un guide et son client sont tombés dans une crevasse, il faut vite aller les sauver ! On monte alors dans l'hélicoptère. Lorsque l'on repère la crevasse au sommet de la montagne, le mécanicien de l'hélicoptère nous fait descendre le long d'un câble. Le guide a une jambe cassée, je la protège avec une attelle. Il ne faut pas trainer, un bloc de glace pourrait se détacher ! L'hélicoptère vient nous rechercher. Attachés au bout du câble, il nous fait sortir de la crevasse et nous emmène jusqu'à l'hôpital ! Heureusement, tout s'est bien passé ; je suis soulagée et vraiment fière d'exercer ce métier ! Pour que tous les enfants aient l'envie et la force de réaliser leurs rêves !"

INSTAGRAM: @Coralie.mermillod

Valentine Fabre
Médecin de montagne/ Alpiniste

En tant que skieuse et alpiniste, je dois connaître la montagne et ses dangers pour l'apprécier pleinement et éviter les pièges. Un accident de ski ou une avalanche peuvent avoir parfois des conséquences sérieuses. Ce livre, au travers du regard de Fjord le chien, vous donnera plein de conseils pour évoluer en sécurité sur les pistes, en étant sensible à votre environnement. Vous comprendrez aussi comment la complicité de Caroline et Fjord est indispensable pour que cette équipe chien-humain puisse accomplir sa mission.

 INSTAGRAM: @tintin_des_bossons

Marion Haerty
Snowboard Freeride World Champion X4

J'ai pris le chemin de la montagne pour accéder à plus de liberté grâce a ma planche de snowboard, quand je suis là-haut, je me sens bien avec la nature.

La créativité peut alors s'exprimer sous une dimension artistique en traçant sa ligne comme au stylo avec pour feuille blanche une pente immaculée de neige.

Photo : Mathis Dumas

 INSTAGRAM: @marion_haerty

Anne-Flore Marxer

2011 Freeride World Champion, 2016 and 2017 Vice World Champion

J'ai grandi proche des montagnes que je pouvais admirer depuis ma classe d'école.

J'étais brutalisée par mes camarades à l'école, alors je me dépêchais de faire tous mes devoirs pendant la semaine pour partir profiter du weekend à la montagne.

Je me sentais heureuse en montagne, je pouvais être moi-même et profiter du grand air.

J'aimais les sensations de glisse, j'aimais me surpasser et me faire de nouveaux amis..

La montagne était mon échappatoire, la rigolade et la liberté !

INSTAGRAM: @annefloremarxer

Aurore Jean

Athlète Olympique Ski de Fond

Evoluer au cœur de la forêt ou sur de belles étendues entourées de montagne, dans des paysages apaisants au grand air. Ce sont des endroits qui ont rythmés mon enfance et c'est ce que j'aime dans le ski de fond au delà de la compétition. La nature qui s'habille d'un moelleux manteau de neige, si épais qu'il camoufle tous les bruits alentour. Le silence qui s'installe alors, procure calme et sérénité, loin du stress de la vie quotidienne, où vous n'entendez rien d'autre que vous-même, votre souffle, en y laissant votre propre trace!

INSTAGRAM: @jeanaurore

Avant-Propos

Les montagnes ont toujours occupé une place importante dans ma vie, se dressant sur mon horizon et me rappelant sans cesse à elles.

Très jeune déjà, la pratique du ski a allumé ma passion pour les environnements neigeux. Et par chance, j'ai pu vivre cette passion professionnellement une bonne partie de ma vie. Puis il y a eu ces autres « montagnes », celles que l'on gravit comme des obstacles à franchir. Mais j'ai vite appris que les chemins de vie les plus faciles à parcourir ne sont, en général, pas les plus intéressants.

De ce premier amour pour le ski, je me suis entraînée en ski acrobatique et particulièrement l'acroski (ballet), avant de devenir monitrice de ski en Autriche et en Australie. Par la suite, je me suis spécialisée en tant que pisteur secouriste en France. Enfin, j'ai travaillé comme maître-chien au sein du Groupe Cynotechnique, (GCSR64) dans l'unité de Secours en Montagne, au côté de Fjord, mon si fidèle compagnon qui me manque tant.

Les montagnes m'ont apporté énormément de joie. A la fois merveilleuses et vivifiantes, elles exigent aussi le respect, sources de dangers pour celles et ceux qui ne les connaissent pas.

Depuis toutes ces années, j'ai patiemment amassé mes aventures de neige ainsi que les précieux souvenirs de Fjord, mon incroyable chien. Petit à petit, j'ai écrit ce livre pour que les enfants apprennent comment profiter en toute sécurité des stations d'hiver.

J'aimerais que tous y ressentent la joie qui est la mienne, tout en se sentant hors de danger. Je n'apporte pas toutes les réponses, et ce livre non plus. Il se base cependant sur un savoir éprouvé depuis des années d'expérience à travailler au cœur des montagnes.

Il faut le voir comme un point de départ pour trouver sa propre piste balisée à travers les pentes neigeuses.

Avec l'aimable soutien de :

www.ortovox.com

www.fis-ski.com

www.fips-skipatrol.org

13

Au Sujet De Ce Livre

Mission montagne pour Fjord ! s'inspire de la vie pleine d'aventures de Fjord, un chien d'avalanche qui a travaillé dans les belles montagnes enneigées des Pyrénées.

Découvre la vie de Fjord et de Caroline, sa maîtresse humaine, et leur quotidien parmi les montagnes, entre routine et sauvetages exaltants.

Au fil des chapitres, des encadrés informatifs en couleur t'aideront à comprendre les différents aspects de leur travail.

Orange pour la sécurité sur les pistes et en montagne.

Bleu pour le travail Les règles de l'éducation canine.

Vert pour la protection de notre planète.

Egalement, tu trouveras un dictionnaire à la fin du livre qui t'aidera à mieux comprendre les mots-clés.

DÉFI

Cachés parmi les pages se trouvent 5 « boudins », le jouet bleu spécial de Fjord.

Essaie de les retrouver !

Mais il est temps de te lancer dans l'aventure et de partir à la découverte...

De lourds flocons aussi gros que des fleurs de pissenlit sont tombés en virevoltant toute la semaine. Il y en a partout ! Dans le froid piquant, je me tiens prêt et guette le moindre signe d'une avalanche, une rivière de neige puissante qui dévale la montagne en recouvrant tout sur son passage et en blessant parfois des humains...

...sauf si je peux les sauver avant !

1 MOI ET MA MAÎTRESSE - MON CHIEN, MON HÉROS !

« Bonjour ! »

Je m'appelle Fjord.

Je suis un Retriever à poil plat français.

J'ai hérité de mon père suédois sa force...

...et de ma mère française, un museau élégant au flair puissant !

MA QUÊTE est de retrouver un objet – un jouet spécial appelé « boudin ». Quand je le trouve, j'espère avoir une gentille tape sur la tête par ma Maîtresse Caroline.

Je n'ai droit à mon « boudin » que quand j'ai retrouvé quelqu'un, exactement comme une friandise qu'on reçoit en récompense !

M'aideras-tu à retrouver mon « boudin » ? Je suis sûr que Caroline l'a caché quelque part dans la station !

Caroline vient d'Angleterre, mais elle me parle en français puisque nous vivons en France.

Elle est forte, courageuse et porte plusieurs uniformes de travail.

Quand nous travaillons dans une station d'hiver,
elle porte une combinaison orange et noir avec
une croix dessinée sur un badge. Elle porte aussi
des skis, un sac-à-dos et un casque.

Quand nous jouons dans les trous à neige ou patrouillons dans l'hélicoptère jaune et rouge, elle porte une combinaison de ski rouge, un plus grand sac-à-dos et un casque de la même couleur.

Parfois, nous rentrons en ville au quartier général des pompiers et des secours, avec tous ses véhicules rouges et leurs lumières bleues qui clignotent. Là, Caroline porte un uniforme bleu marine quand elle saute dans une ambulance et un uniforme rouge matelassé quand elle court pour grimper dans le camion de pompiers.

2 UN RÉVEIL BRUTAL POUR UN JOUR TRÈS SPÉCIAL

Les sommets des Pyrénées sont aussi blancs que les gâteaux de Noël au sucre glace.

On est réveillés par le son aigu de l'alarme. Il est 6 heures du matin et c'est dur d'ouvrir les yeux !

Je suis content quand Caroline ouvre enfin ma niche. J'attrape le premier objet – un torchon, une chaussette, une culotte – qui tombe sous ma truffe !

Je lui rapporte l'objet, mais l'échange aussitôt contre mon petit déjeuner – des biscuits pour chien qu'on pose devant moi. Voilà qui me réveille tout à fait ! Mais avant de plonger le museau dans ma gamelle, j'attends patiemment que Caroline ait fini son propre bol de porridge énergétique.

C'est un jour très spécial parce que Caroline va faire quelque chose de très important aujourd'hui : elle s'est levée tôt pour dynamiter les énormes tas de neige afin qu'aucune avalanche ne cause d'accidents.

Les règles de travail de Fjord :

- Je mange toujours après ma maîtresse parce qu'elle est la cheffe de la meute.
- J'ai droit à une bonne portion de biscuits pour chien avec de l'eau.
- C'est très important d'aller en montagne en ayant bien mangé et bien bu. On a besoin de toute l'énergie nécessaire pour pouvoir avancer malgré le mauvais temps.

3 PRÊT POUR ALLER TRAVAILLER

Un bond par-ci, un saut par-là et nous voilà partis ! La porte arrière de la voiture s'ouvre et je saute dans ma caisse de transport. Elle est si confortable que je m'assoupis ; je dois conserver toute mon énergie. On sort de la ville, puis on traverse la campagne avant de grimper dans les montagnes, avec de courts arrêts pour prendre au passage des collègues.

Les règles de travail de Fjord :

Quand je voyage en voiture, je dois toujours rester dans ma caisse de transport. Je m'y sens en lieu sûr — c'est comme porter une ceinture de sécurité. On dirait ma niche et j'aime beaucoup y dormir quand on part pour s'entraîner. Elle me permet de garder toute mon énergie pour le travail qui m'attend, ce qui est très important.

Les règles de travail de Fjord :

Quand je suis en public, je dois être tenu en laisse et sous contrôle, sinon je suis toujours tenté d'aller réclamer plus de caresses à droite et à gauche.

D'un coup, je me réveille. Caroline ouvre ma caisse.

J'adore cette partie du trajet : je peux me défouler sur le parking, répondre quand on m'appelle et recevoir des petites tapes sur la tête de la part des collègues de Caroline. Les caresses d'encouragement continuent alors que je saute dans le bus. Bien que je sois très populaire, tout le monde ne m'apprécie pas autant car je sens fort, comme n'importe quel chien !

Je suis Caroline jusqu'à un siège. Je me cale
contre ses jambes et pose ma tête sur ses
genoux.

Bientôt, le bus démarre. J'entends vaguement le
clic de la laisse qu'on attache à mon collier.

Protéger notre planète :

Quand on voyage, mieux vaut n'utiliser qu'un véhicule à plusieurs ou les transports en commun plutôt que chacun sa voiture. Cela produit moins de pollution et réduit notre empreinte carbone.

Prochain arrêt : la station de ski.

Les télécabines sont prêtes à nous transporter jusqu'à la station. On dirait des boules de Noël accrochées à un sapin ! Je m'amuse beaucoup car je renifle tous les sacs à dos à la recherche de nourriture. Peut-être trouverai-je une friandise, ni vu ni connu ?

Soudain, les portes s'ouvrent. Je saute et gambade sur la neige craquante. Les flocons virevoltent et mes grosses pattes laissent mes propres traces dans la neige fraîche.

La suite est moins amusante. Je dois rester couché en attendant que Caroline se prépare pour son travail en montagne. Lui obéirai-je aujourd'hui ou suis-je trop excité par les flocons qui me chatouillent les narines ?

Les règles de travail de Fjord :

Je dois être obéissant et faire ce que Caroline m'ordonne, même si je suis tout-fou et tenté d'aller jouer.

4 PRÉVENIR LES AVALANCHES AVEC DES EXPLOSIFS

La dameuse nous attend. C'est une machine qui remonte et descend les pistes pour les mettre à niveau et les rendre praticables pour le ski ou le snowboard.

Caroline apparaît. Elle porte des chaussures de ski, un casque, des skis et son sac à dos. Elle a également son indispensable talkie-walkie dans la poche et un émetteur-récepteur d'avalanche sous son blouson.

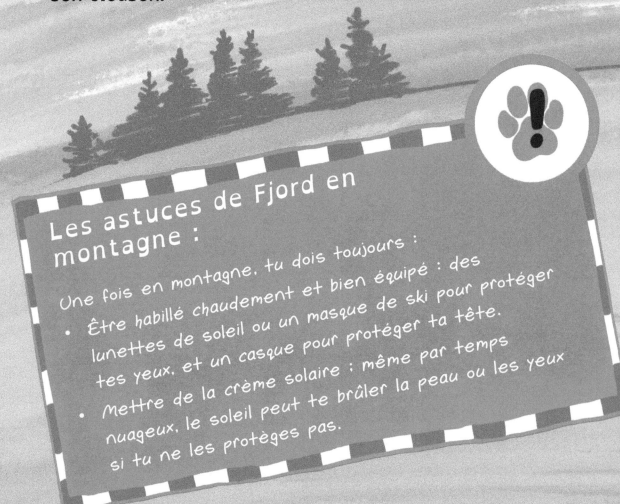

Les astuces de Fjord en montagne :

Une fois en montagne, tu dois toujours :
- Être habillé chaudement et bien équipé : des lunettes de soleil ou un masque de ski pour protéger tes yeux, et un casque pour protéger ta tête.
- Mettre de la crème solaire : même par temps nuageux, le soleil peut te brûler la peau ou les yeux si tu ne les protèges pas.

Caroline me porte à bord de la dameuse ; elle est vraiment très forte car je pèse 35 kilos, le poids d'un jeune enfant.

Click ! Caroline s'attache au rail de sécurité à l'arrière avec son harnais pour éviter de tomber. Elle attend que son collègue Dominique grimpe à bord.

On peut maintenant partir pour notre aventure matinale. Aucune remontée mécanique n'est ouverte car les pistes doivent d'abord être sécurisées. Caroline et Dominique ont la responsabilité de faire exploser le haut des pentes où la neige, si on la laisse là, peut être dangereuse et causer des avalanches.

La dameuse s'arrête. Maintenant commence la partie la moins amusante de l'aventure. On me met dans la petite niche en bois derrière la station des télécabines.

Avant de me laisser, Caroline hisse un drapeau orange vif à côté du panneau d'information.

Les astuces de Fjord en montagne :

Sur le drapeau orange vif sont dessinées une montagne et une petite avalanche. Cela indique qu'il y a un risque marqué d'avalanche.

Il existe 5 drapeaux pour prévenir sur les différents risques d'avalanche.

Drapeaux des risques d'avalanche

Très fort

Très fort

Fort

Marqué

Limité

Faible

Faible

Je dois être patient et attendre le retour de Caroline...

Avec réticence, je me retourne dans ma niche et me mets en boule. Je peux entendre au loin les « bangs » des explosions. Somnolant, je rêve de Caroline à la chasse aux canards...

BANG !

J'imagine des « boudins » en peluche éparpillés
au sol tandis que je cours ventre à terre pour les
ramasser !

5

LA MATINÉE COMMENCE EN SÉCURISANT LES PISTES

Je suis réveillé par un bruit sourd. Encore endormi, je me demande si c'est un canard qui vient d'atterrir sur ma niche.

Je regarde dehors ; c'est Franck, l'animateur encadrant les enfants, qui frappe sur le toit de mon refuge. Cela veut dire que les explosions ont cessé et que l'équipe qui travaille sur les pentes peut maintenant entrer en piste !

J'aime beaucoup Franck ; il me laisse
gambader avec lui tandis qu'il prépare la zone
d'apprentissage des enfants. Il plante de grandes
fleurs en plastique dans la zone des débutants
pour qu'ils apprennent à tourner... en s'amusant !

Quand Franck ne regarde pas, j'arrache une des
fleurs colorées, puis je cours en cercle pour
qu'il ne m'attrape pas ! Un aboiement joyeux et
étouffé m'échappe, mais je fais bien attention de
ne pas lâcher ma prise, même si Franck n'a pas
l'air très content.

Houlà ! Je fais trop de bêtises et on me remet
dans ma niche.

Finalement, j'entends la
neige craquer alors que quelqu'un
approche. En grognant de joie comme
un gros ourson, je fais la fête à
Caroline ; elle vient me chercher pour
qu'on ouvre quelques pistes ensemble.

Les astuces de Fjord en montagne :

Un pisteur secouriste doit s'assurer que
toutes les pistes sont sûres avant d'être ouvertes
au public. Pour cela, il doit les descendre à ski et
mettre la signalisation de sécurité et d'autres
équipements pour protéger les gens des zones
dangereuses.

« Ouaf, ouaf, OUAF ! Allez, viens, on y va ! »
J'aboie avec enthousiasme.

Si j'ai de la chance, je pourrai descendre des pistes vertes ou bleues pendant que Caroline vérifie que les balises et les panneaux supplémentaires de sécurité sont bien en place.

« Ouaf, ouaf ! » J'aboie plus fort parce que je n'arrive plus à la suivre. De frustration, j'attrape une balise tombée par terre et détale avec elle.

« Devant ! » me crie Caroline, pour que je cours devant elle ; elle doit faire attention de ne pas m'entailler les pattes car les lames des skis sont aussi tranchantes que des couteaux de cuisine.

Elle prend de la vitesse au fur et à mesure qu'elle glisse, de plus en plus rapidement. On arrive bientôt en bas de la piste bordée par une forêt de pins qui ploient sous leur lourd manteau neigeux. La course s'achève, j'aperçois maintenant les hôtels et les restaurants de la station près du départ de la télécabine.

Caroline parle dans sa radio : « La piste
est ouverte et damée ! »

**Les astuces de Fjord en
montagne :**

Au départ des télésièges, les panneaux d'information
indiquent les pistes ouvertes (lumière verte) et celles
fermées au public (lumière rouge).
Par jour, je n'ai droit qu'à deux descentes sur les
pistes faciles : le matin, quand Caroline et ses collègues
pisteurs ouvrent les pistes et le soir, quand ils les
ferment.
Entre les deux, aucun chien n'est autorisé sur les
pistes pour des raisons de sécurité.

Mince, l'amusement est
de courte durée ! Je boude
un peu car cela veut dire que je dois
retourner dans ma niche. Je m'effondre aux
pieds de l'opérateur du télésiège pour une courte
sieste réparatrice.

Caroline s'éloigne pour vérifier un autre panneau
d'information. Est-ce que tout est en place ? Elle
doit de nouveau hisser le bon drapeau.

Du coin de l'œil, je la vois s'agenouiller pour ramasser une bouteille en plastique et la jeter dans une poubelle de tri.

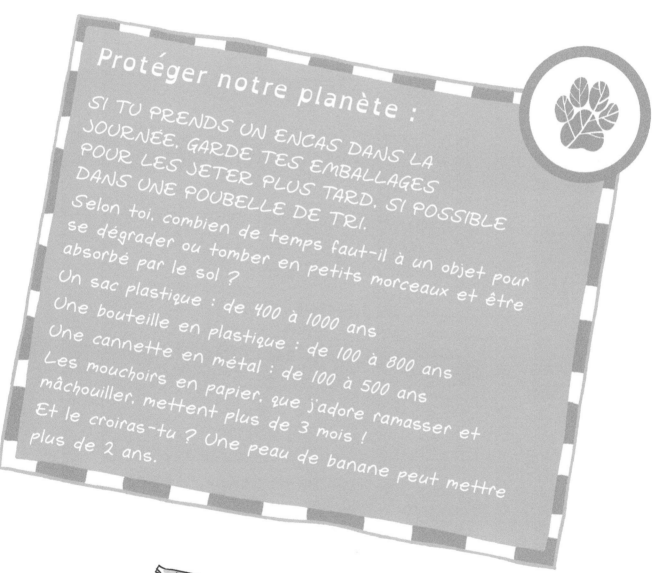

Protéger notre planète :

SI TU PRENDS UN ENCAS DANS LA JOURNÉE, GARDE TES EMBALLAGES POUR LES JETER PLUS TARD, SI POSSIBLE DANS UNE POUBELLE DE TRI.

Selon toi, combien de temps faut-il à un objet pour se dégrader ou tomber en petits morceaux et être absorbé par le sol ?

Un sac plastique : de 400 à 1000 ans
Une bouteille en plastique : de 100 à 800 ans
Une cannette en métal : de 100 à 500 ans
Les mouchoirs en papier, que j'adore ramasser et mâchouiller, mettent plus de 3 mois !
Et le croiras-tu ? Une peau de banane peut mettre plus de 2 ans.

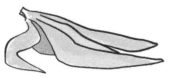

C'est très important que Caroline me protège des blessures et me donne assez à manger avant une journée de travail pour que je sois en pleine forme si je dois participer à un sauvetage en avalanche.

Voici quelques équipements que Caroline place sur les pistes le matin (cela peut légèrement varier d'un pays à l'autre).

Des panneaux de sécurité, souvent orange, avec différents messages ;

RALENTIR / PISTE FERMÉE / INTERSECTION

Les panneaux de couleur jaune indiquent un danger potentiel. Peux-tu identifier les différents risques ? Cherche bien dans toute la station et vois combien tu peux en trouver.

Les disques de balisage. Leur couleur indique le niveau de difficulté de la piste. Ils sont numérotés selon l'endroit où tu te trouves, les plus grands numéros étant situés tout en haut.

Nom de la piste

Nom de la station

Des balises indiquant le niveau
de difficulté de la piste ;

⬤ Facile

⬤ Difficulté moyenne

⬤ Difficile

⬤ Très difficile

◐ Danger
(jalon jaune et noir)

Ces panneaux viennent de quel pays ?

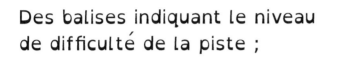

◆◆ Advanced Expert _____ Expert

◆ Expert _____ Confirmé

□ Intermediate _____ Intermédiaire

● Beginner _____ Débutant

▭ Terrain Park _____ Snowpark

59

6

JE DOIS OBÉIR A MA MAÎTRESSE

Il est temps de retourner dans la télécabine. Je saute à l'intérieur et me risque à quelques espiègleries.

« Ça y est, je l'ai ! » me dis-je en attrapant le
gant de Fred, un autre pisteur secouriste. À peine
le cuir sur ma langue, Caroline arrache la molle
friandise de ma gueule et gâche toute ma joie !

Les règles de travail de Fjord :

Je suis autorisé à jouer avec mes « boudins » seulement quand je m'entraîne au sauvetage en avalanche. Si je joue avec plus souvent, ils deviendront moins attrayants et je ne serai plus aussi motivé pour travailler. C'est un peu comme la joie qu'on ressent en attendant son cadeau d'anniversaire !

Je dois obéir à ma Maîtresse. Elle me parle en français, une langue que tous mes collègues chiens comprennent.

Les ordres de base de Fjord :

Assis !

Couché !

Debout !

Au pied !

Devant !

Pas toucher !

Lâche !

Retour !

Et le petit mot
magique : Cherche !

Je cherche alors mon « boudin », sûrement caché
avec quelqu'un enseveli sous la neige.

On atteint notre destination et un courant d'air glacé nous accueille dès que les portes s'ouvrent. Prêt à l'action, je ne bondis au-dehors que quand j'entends : « C'est bon ! »

Je trotte aux côtés de Caroline qui me ramène à ma niche. Elle repart inspecter une seconde fois les pistes ouvertes, vérifiant que tout est en ordre. Une fois cela fait, elle s'échappe pour sa pause-café du matin. Mais chut ! ne le dis à personne, c'est notre petit secret !

Je m'installe sur le confortable tapis qui recouvre le sol de ma niche. Des images de moi quand j'étais chiot me remplissent la tête. Ma préférée est celle du matin où j'ai trouvé les chaussettes de Caroline que j'ai mâchouillées et avalées tout entières ! Elles sont ressorties deux jours plus tard pendant notre balade dans le parc et Caroline a dû m'aider à les expulser en tirant avec un sac pour ramasser les crottes.

Soudain, une autre image de Caroline apparaît dans mon rêve et je me réveille en sursaut.

7 À LA RECHERCHE D'UN PEU DE NOURRITURE

Je sens son odeur et je sais que c'est elle...

C'est l'heure de ma promenade matinale avant que Caroline reparte s'occuper d'autre chose. J'adore ce moment quand on s'aventure dans la zone où les enfants apprennent à skier et à faire du snowboard. Il y a plein de trucs formidables ici : des gens me tapotent gentiment la tête, et je joue les ramasse-miettes sur la terrasse du restaurant. Si je suis assez rapide, je peux gober une chips sans que Caroline me voie !

Je m'arrête à côté d'une grosse poubelle et j'en fais le tour...

« Fjord, allez, on y va ! » me crie Caroline.

Je remue énergiquement la queue et renifle avec excitation, comme si je lui disais : « Mais il y a deux furets qui font un festin sur des restes de hamburger au fond de la poubelle ! » Elle ne me croit pas, bien sûr.

Le chien et ses caractéristiques

- Selon la race, l'odorat d'un chien est 10 000 fois plus développé que celui d'un être humain, et probablement plus.

- Le chien possède plus de 300 millions de récepteurs olfactifs à l'intérieur de ses narines (un humain n'en a que 6 millions).

- La partie de son cerveau qui permet de ressentir et d'analyser les odeurs est, proportionnellement, 40 fois plus grande que chez un être humain.

COMMENT EMPRUNTER LES PISTES EN TOUTE SÉCURITÉ

Mon plus beau cadeau, c'est quand je peux faire le fier devant la meute de huskies enfermés dans leur enclos en bas de la piste principale des débutants. Ils doivent patienter jusqu'à ce que Sylvain, leur musher, emmène des touristes se balader en traîneau autour du lac tout proche.

Je descends
la piste facile en
courant entre les skis de
Caroline, les rendant jaloux
de ma liberté. Rapidement, elle
m'entraîne vers le télésiège qui
ralentit pour moi.

Je dois rester très attentif au moment où Caroline
me criera : « Saute ! » Alors, je saute juste au
bon moment sur le télésiège qui remonte en se
balançant avec ma queue qui dépasse à l'arrière.

Caroline s'assure de bien enlever son sac-à-dos.

Les astuces de Fjord en montagne :

Dans un télésiège, les sacs-à-dos doivent toujours être placés sur les genoux contre soi pour ne pas s'accrocher et causer un accident.

Les règles de travail de Fjord :

À bord d'un télésiège :

- Je ne dois pas gigoter.
- Je dois rester sagement assis et profiter du magnifique panorama vu d'en-haut.

Alors que le télésiège remonte la pente, je pose ma tête sur les genoux de Caroline et observe l'activité en dessous.

Des enfants glissent sur les pistes, il y a des groupes de skieurs et de snowboarders, et les moniteurs de ski font la démonstration des différents mouvements. Pendant tout ce temps, le léger balancement du télésiège me fait presque somnoler.

Le télésiège commence à ralentir ; nous avons atteint le haut de la piste.

Quand de jeunes enfants arrivent en haut,
l'opérateur du télésiège le ralentit pour qu'ils
puissent glisser plus facilement et ne pas se
blesser. Et c'est pareil pour moi !

Une petite cabane en bois avec une grande croix
rouge sur la porte apparaît devant nous. C'est le
poste de secours des pisteurs secouristes où l'on
peut venir demander de l'aide ou simplement leur
rendre visite.

J'adore cet endroit. J'y rentre souvent en trombe et j'engloutis toutes les miettes qui traînent, surtout celles des croissants et des gâteaux faits maison oubliées par un pisteur secouriste ; délicieuses !

Caroline se souvient qu'une attelle de jambe manquait pendant le sauvetage de la veille. Rapidement, elle entre dans la cabane pour en trouver une. Je trottine derrière elle à la recherche de miettes !

Les astuces de Fjord en montagne :

Les postes de secours, situés à différents endroits, sont indiqués par une croix rouge sur les pistes ou la carte de la station. Là, les pisteurs secouristes peuvent t'aider, même si tu n'es pas blessé. Tu peux leur demander, par exemple : « Quelle piste est fermée ? » ou « Comment est la neige ? » Ils sont toujours disponibles et il fait toujours chaud à l'intérieur !

De retour dans la blancheur aveuglante de la neige, un jeune homme appelé Gilles se dirige vers nous, l'air très soucieux : « Je ne me sens pas bien, j'ai du mal à respirer ».

Caroline l'invite gentiment à se reposer à l'intérieur sur le lit médical du poste de secours. Elle sort sa machine pour mesurer son pouls et sa pression sanguine ; son cœur bat très vite !

Alors que je me
couche à ses pieds, Caroline lui
parle doucement et je sens qu'il caresse ma
fourrure.

Doucement mais sûrement, Gilles commence à aller
mieux (ce que montre aussi la machine). Inquiet de
refaire du snowboard après tant d'années, il est
devenu anxieux et a paniqué ; un peu de réconfort
et de repos était tout ce dont il avait besoin.

Gilles nous remercie et bientôt décide de tenter
une descente en snowboard avant son premier
chocolat chaud du matin ; miam !

UN INVITÉ TRÈS SPÉCIAL !

Toutes les pistes sont maintenant ouvertes, donc je ne peux plus m'y promener librement. Grimpant sur le brancard de secours bleu, je m'allonge patiemment. Il doit être parqué un peu plus bas sur la piste près de l'usine à neige.

Regardant plus haut, Caroline vérifie qu'elle ne coupe la route à personne avant de s'élancer ; c'est une des règles de sécurité des pistes. Nous glissons rapidement vers le bas.

Le vent ébouriffe ma fourrure et fait voleter mes oreilles. Je ferme les yeux. Soudain, une secousse ! Houlà !

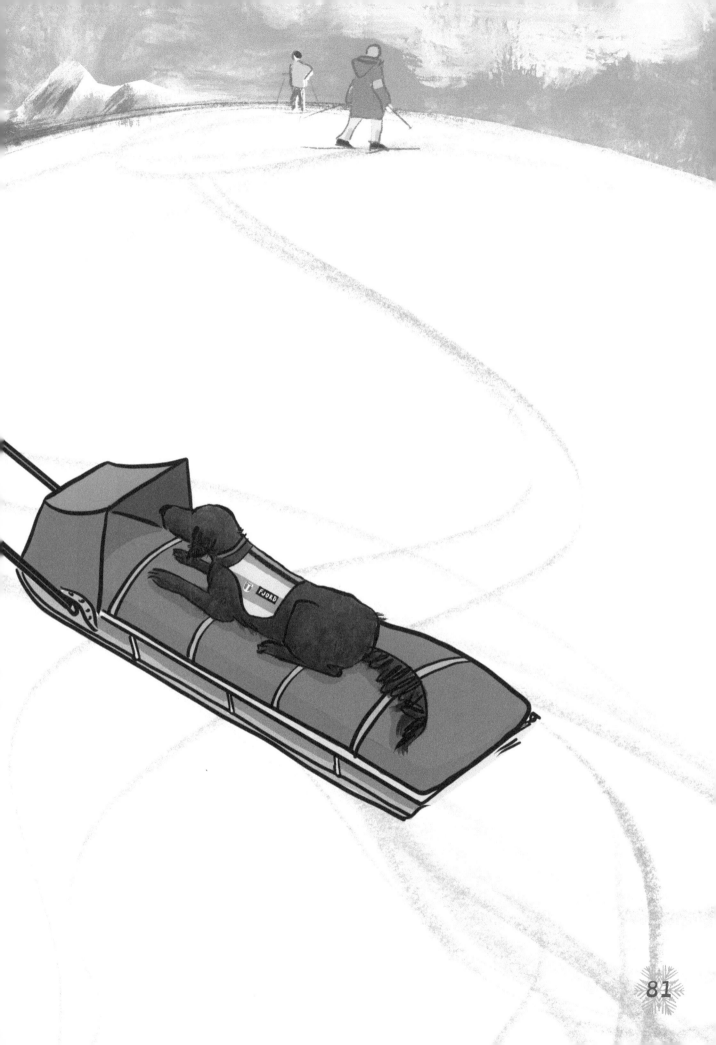

On a heurté une bosse et je suis catapulté dans les airs. Heureusement, j'atterris avec un bruit sourd sur le manteau neigeux. Je finis la descente en forçant mon chemin dans la neige, écoutant le crissement des patins qui glissent sur le sol inégal.

On passe devant le snowpark où une jeune fille exécute une figure de freestyle. À cet endroit, on peut essayer plein de super sauts !

Soudain, on entend un grand cri et une dame skie vers nous.

Elle pointe du doigt le bas de la piste. Tout ce que je vois, c'est une forme arrondie sur la neige. Ma vue en plein jour est moins bonne que celle des humains.

Marie-Hélène, la monitrice de ski et amie de Caroline, est au téléphone pour alerter les pisteurs secouristes. On est déjà en route !

Nous suivons la dame. Bientôt, j'aperçois un petit garçon roulé en boule, pleurant dans la neige ; il a chuté.

Caroline freine d'un coup sec et je suis de nouveau éjecté dans la neige fondue.

« Assis, pas bouger ! » m'ordonne-t-elle.

Enlevant ses skis, elle les plante en croix sur la piste un peu au-dessus du petit garçon et passe un appel radio pour demander l'aide d'un pisteur secouriste.

Les astuces de Fjord en montagne :

En cas d'accident, tu dois sécuriser la zone pour éviter le sur-accident. Pour cela, les skis sont plantés en croix quelques mètres au-dessus de la personne blessée pour la protéger et pour prévenir les autres. Cela permet aussi aux pisteurs secouristes de repérer plus rapidement la personne blessée.

2 autres règles de sécurité sur les pistes :

- Ceux qui sont en-dessous de nous ont toujours la priorité.

- Tu dois contrôler ta vitesse pour éviter toute collision.

Cathy, la collègue de Caroline, arrive avec un autre traîneau de secours qu'elles préparent ensemble. Caroline récupère l'attelle de jambe, un équipement spécial qui permet de protéger un membre blessé. Le petit garçon s'est fait mal au genou. Il faut donc lui mettre l'attelle pour le tenir au chaud et le maintenir pendant qu'on le descend sur le brancard de secours jusqu'au centre médical.

10
L'USINE
À NEIGE

Je commence à gigoter ; rester assis tranquille, ce n'est pas mon truc ! Heureusement, le petit garçon est vite sanglé confortablement dans le brancard pour que Cathy l'emmène au centre médical voir un docteur.

Je peux enfin remonter dans mon « taxi » et on repart ! Nous passons devant le café où l'on entend de la musique et soudain, le traîneau de secours s'arrête à nouveau brutalement.

Je lève les yeux sur un bâtiment en métal avec des stalactites qui tombent du toit. On vient d'arriver à l'usine à neige où est fabriquée la neige artificielle et où Caroline doit faire quelque chose d'important.

« Fjord, Fjord, viens me voir ! »

J'entends une voix joyeuse. C'est Jérôme qui sort du bâtiment après avoir fini son travail de nuit. Quand les canons à neige sont programmés pour déverser leur écume magique toute la nuit, Jérôme ne dort pas. Il reste éveillé pour vérifier que tout se passe sans souci.

J'aime beaucoup Jérôme ; il a toujours une friandise pour moi – un morceau de saucisson ou un peu de jambon. Miam !

Caroline salue Jérôme et accepte son offre de boire un café avant de récupérer son matériel pour vérifier l'état de la neige et les conditions météorologiques.

À l'extérieur de l'usine à neige se trouve une importante station météo. Deux fois par jour, les spécialistes de l'équipe de pisteurs secouristes mesurent l'épaisseur de la neige, sa température, sa densité, la nature des cristaux de glace, et font bien d'autres observations.

À nouveau, j'attends patiemment dehors, un peu somnolent ; la zone où Caroline travaille ne peut pas être piétinée. Aujourd'hui, des petits paquets de neige fondue tombent sur moi, glissant des branches de l'arbre auquel je suis attaché avec ma laisse rouge vif.

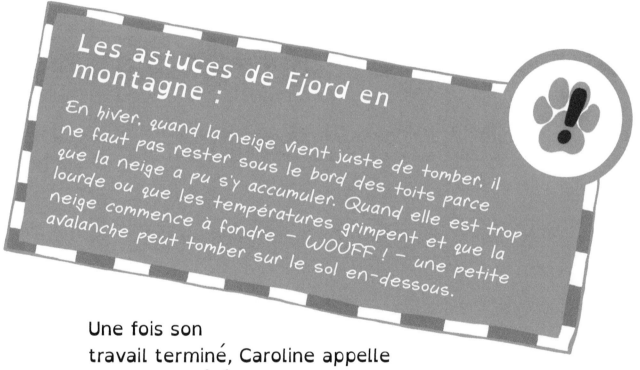

Les astuces de Fjord en montagne :

En hiver, quand la neige vient juste de tomber, il ne faut pas rester sous le bord des toits parce que la neige a pu s'y accumuler. Quand elle est trop lourde ou que les températures grimpent et que la neige commence à fondre — WOUFF ! — une petite avalanche peut tomber sur le sol en-dessous.

Une fois son travail terminé, Caroline appelle le bureau météorologique local pour donner ses observations.

Ma patience est finalement récompensée par un autre voyage rapide sur le traîneau de secours jusqu'à sa place au pied du téléski.

Les astuces de Fjord en montagne :

Les traîneaux de secours sont placés en bas des pistes de la station d'hiver. Si tu te blesses en chutant, un patrouilleur de ski peut arriver rapidement pour te donner les premiers soins et, si besoin, t'emmener voir le docteur de la station.

Les stations de ski et la planète.

Souvent, les stations de ski doivent fabriquer de la neige artificielle pour que les pistes restent ouvertes.

Les changements climatiques partout dans le monde entraînent aussi des changements dans les saisons. Il y a de plus en plus souvent des températures extrêmes et moins de pluie. Ce qui, malheureusement, veut dire moins de neige dans les stations de ski.

Si tu observes les pistes, tu peux apercevoir les longs cous métalliques des canons à neige qui déversent la neige artificielle sur le sol. Ils crachent leur mousse glacée juste après l'arrêt du télésiège et la fermeture des pistes par les pisteurs secouristes. Les canons à neige travaillent toute la nuit pour que les pistes soient bien enneigées le lendemain.

Une fois, j'ai fait une visite à l'infirmerie après m'être coupé la patte sur une lame de ski. Le docteur m'a posé un point de suture ; j'ai été très brave !

C'est pour ça que je ne peux pas courir en liberté sur les pistes ; c'est trop dangereux pour moi !

Les règles de travail de Fjord

Si j'obéis bien aux ordres de Caroline, j'aurai moins d'accident et je ne serai pas blessé.

Manger un bon repas le soir, boire beaucoup d'eau et aller au lit tôt pour me reposer me permet d'être plein d'énergie pour le lendemain.

Et si je me blesse, mon vétérinaire – comme ton docteur – prendra bien soin de moi.

« Ta place ! » m'ordonne Caroline. En-dehors
du traîneau de secours, je dois courir entre les
jambes de Caroline. Ses skis font comme une
barrière pour me protéger des gens qui dévalent
les pistes.

Si elle doit aller plus vite ou s'aventurer sur une
piste plus raide, elle me hisse sur ses épaules et
m'installe en travers de son sac-à-dos. Je fais la
taille d'un petit veau, elle doit être super forte
pour me porter comme ça !

J'entends les enfants s'exclamer sur notre
passage ; nous formons une équipe vraiment
inhabituelle !

La télécabine apparaît devant nous. Caroline me libère enfin et je peux sauter dans l'une des capsules en forme d'œuf qui se balance en remontant vers la zone des débutants et ma niche. Je suis bien content d'y faire un petit somme pendant que Caroline prend sa pause-déjeuner. Je ne suis pas autorisé à manger dans la journée, mais ça ne veut pas dire que je ne cherche pas continuellement à grignoter !

Les règles de travail de Fjord

Un chien ne doit pas s'exercer ou travailler le ventre plein. Après m'avoir nourri, Caroline me fait toujours attendre quelques heures. Un estomac trop plein peut t'empêcher d'être efficace en cas d'intervention sur une avalanche. N'as-tu pas envie, toi aussi, d'une petite sieste après le repas ?

Les astuces de Fjord en montagne :

Prends toujours un repas à midi et des encas dans la journée pour garder une bonne énergie : les sports de neige sont physiquement très exigeants !

Bois beaucoup d'eau ; on se déshydrate beaucoup là-haut, en montagne.

Protéger notre planète

Jette tes déchets dans une poubelle et utilise une gourde.

11

CLASSE SÉCURITÉ EN MONTAGNE POUR LES ENFANTS

POUF ! Une boule de neige vient s'écraser sur le bois de ma niche et j'entends Caroline élever un peu la voix. Elle explique à un garçon qu'il ne faut pas jeter des boules de neige contre l'abri d'un chien secouriste parce qu'il a besoin de calme pour se reposer et pouvoir être prêt en cas d'urgence.

Après ma sieste d'après-midi, j'accueille souvent avec ma maîtresse une classe venue apprendre les bases de la sécurité en montagne. Le garçon est venu avec son école. Dans la zone des débutants, Caroline leur parle de son travail en tant que pisteur secouriste et du grand jeu dans la neige auquel je participe (le secours en avalanche).

Caroline ouvre son sac à dos et les
enfants en examinent le contenu :
un kit de premiers secours
avec des pansements,
des bandages, du
désinfectant et des
gants jetables pour se
protéger les mains, une
couverture de survie qui préserve
les gens du froid et une écharpe de
bras ou d'épaule.

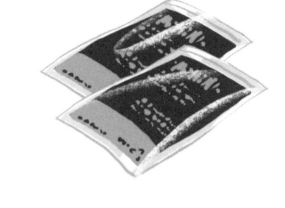

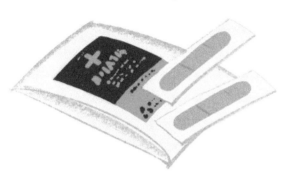

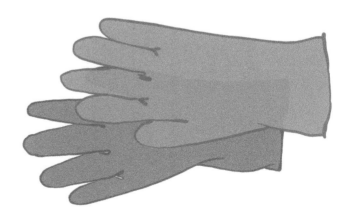

Enfin et surtout, le plus important dans un kit de secours en avalanche :

1. Un Détecteur de Victimes d'Avalanches (DVA) qui permet de détecter une personne qui est ensevelie sous la neige avec le même appareil.

2. Une sonde avalanche pliable qui permet de « sentir » quelqu'un sous la neige.

3. Une pelle métallique pour aider à libérer quelqu'un enseveli sous la neige.

Les astuces de Fjord en montagne :

Quand tu skies en-dehors des pistes balisées ou en-dehors des domaines skiables, ce qu'on appelle le « hors-piste », tu dois toujours avoir dans ton sac à dos un kit de survie et un DVA. Tu dois savoir t'en servir, et le plus important, t'entraîner régulièrement à l'utiliser. C'est très amusant et tu peux aussi le cacher ailleurs que sous la neige. Caroline s'entraîne souvent dans le parc en cachant son DVA dans les buissons et en le cherchant à l'aide d'un autre détecteur !

Si tu n'as pas de DVA sur toi et que tu es pris
dans une avalanche, c'est plus difficile de te
retrouver et donc, plus dangereux.

Moi, ça m'amuse beaucoup de m'entraîner à chercher et de me perfectionner pour porter secours ! J'adore courir partout sur l'avalanche en reniflant l'air et la neige pour trouver une forte concentration d'odeurs humaines. Et quand j'en trouve, je dois aboyer très fort pour prévenir Caroline et remuer la queue pendant que je creuse très vite avec mes pattes.

Caroline lève alors la main et crie « Pelleteurs ! ». Elle appelle ainsi ses collègues afin qu'ils sondent la neige pour retrouver quelqu'un et le libérer.

Puis vient le meilleur moment : quand on me récompense avec « le boudin », un jouet en forme de saucisse qui est ma friandise préférée ! Je suis si content que je parade fièrement avec lui dans ma gueule, en espérant pouvoir le garder pour toujours.

Les astuces de Fjord en montagne :

Quand tu es enseveli sous la neige, cela peut prendre du temps avant que ton odeur remonte à la surface.
Si tu es enseveli sous 1 mètre de neige, ton odeur peut mettre environ 20 minutes pour atteindre la surface, à peine un peu plus que le temps de déjeuner !
Si on te libère d'une avalanche en 15 minutes, tu as de bonnes chances d'aller bien.

La radio de Caroline crépite et elle s'éloigne du groupe scolaire pour répondre à l'appel. C'est l'occasion rêvée d'attraper le gant d'un jeune garçon et de tourner en cercle autour de lui ! Il éclate de rire, et plus il me court après, plus je tourne en cercle... je m'amuse comme un petit fou !

« Fjord, au pied, tout de suite ! » crie Caroline. Je lâche le gant et baisse la tête tout penaud ; je vais avoir des ennuis !

Caroline parle au professeur, puis elle me tire soudain par le collier en direction de la télécabine. On saute à bord et nous voilà partis en bas de la station à toute vitesse !

12

UN PETIT TOUR DANS MON HÉLICOPTÈRE PRÉFÉRÉ.

Caroline file dans les vestiaires et ressort aussitôt avec mon harnais rouge et jaune vif qu'elle enfile par-dessus ma tête ; elle me met aussi la muselière.

Un faible bourdonnement caractéristique se fait entendre de plus en plus fort.

Je commence à bâiller, non de fatigue mais d'excitation, en imaginant l'aventure qui nous attend.

Je lève les yeux et j'aperçois un point noir qui grandit de seconde en seconde. Voilà mon taxi, « Le Dragon 64 », l'hélicoptère qui va nous amener au cœur de l'action. Il doit y avoir une avalanche quelque part !

Les règles de travail de Fjord :

Quand je suis dans l'hélicoptère, je dois toujours porter une muselière pour ne pas mordre le pilote en cas de surexcitation. Caroline porte un casque et un harnais, mais aussi son sac bien équipé de sauvetage en avalanche.

Nous n'avons que 15 minutes !

L'hélicoptère rouge et jaune qui ressemble à une libellule descend au-dessus de la zone de largage. Elle est à présent balisée par l'énorme 4x4 rouge d'incendie et de secours avec ses lumières bleues clignotantes. Le rotor de l'hélicoptère tourne furieusement dans les airs, projetant de la neige partout et créant un blizzard sur la zone. Je ferme les yeux !

La porte s'ouvre en coulissant. Caroline grogne un peu en me soulevant (je n'ai rien d'un lévrier poids-plume !) et le mécanicien m'attrape pour m'amener rapidement vers l'arrière de l'appareil.

Est-ce que ce sera Geri, mon pilote préféré, aux manettes ?

Caroline me rejoint. Mon cœur bat à tout rompre sous la fourrure de ma poitrine et je peux ressentir la tension de Caroline devant la mission qui nous attend. Les chiens peuvent sentir des odeurs dont les humains ignorent même l'existence !

Mon flair doit fonctionner à son maximum aujourd'hui pour qu'on puisse sauver des vies !

La porte se ferme d'un coup et nous décollons vers un ciel nuageux. Nous remontons une vallée en direction d'autres montagnes enneigées, vers la situation d'urgence.

Arrivés dans la zone, on nous dépose avec un treuil et un très long câble très solide, jusqu'à ce que mes pattes touchent le sol. Ce n'est pas la partie que je préfère ! Nous nous enfonçons dans la neige profonde, descendant la pente raide entre de grands sapins.

Devant, nous trouvons facilement ce qui pourrait être une rivière de neige. Il s'agit de l'avalanche qui a enseveli les gens qui sont portés disparus.

Déjà sur place, une ligne d'humains s'est formée épaule contre épaule avec leurs sondes. Ils utilisent ces longues et fines baguettes pour sentir si quelqu'un est sous la neige.

Soum, mon collègue chien, est déjà au travail. Soudain, il se met à gratter le manteau neigeux et son maître appelle Caroline. « Amène Fjord ici ! » On arrive le plus vite possible.

Je renifle la neige, essayant de sentir l'odeur d'un humain. Et je sens quelque chose, ça ne fait aucun doute...

La ligne de pisteurs secouristes, de moniteurs de ski et de gendarmes de haute montagne se déplace rapidement vers nous. On entend un cri ! Dans la zone où je cherche, un moniteur de ski a senti quelqu'un ou quelque chose sous la neige avec sa sonde.

Une équipe commence à creuser. Soudain, le cri d'une petite fille ! Elle a été sauvée après être restée plus de 2 heures sous 2 mètres de neige. 2 heures et elle est encore en vie ! Certains diront que ce sauvetage est un miracle, mais je dirai que l'expérience et un dur travail peuvent être aussi d'un grand secours.

Je tourne la tête et je vois les traits tendus de ses parents se détendre. Je me dis que c'est sans doute la dernière fois qu'ils empruntent un chemin fermé pour risque d'avalanche.

Il a fallu 2 ans à Soum et à moi pour apprendre un métier aussi important, avant de suivre les cours officiels et de passer notre examen dans les Alpes. Cela demande beaucoup de temps, d'endurance et de volonté pour atteindre ce niveau...

...mais peu importe de travailler dur si c'est pour sauver des vies !

Des semaines plus tard, alors qu'on entrait dans une boucherie du coin, on a été servis par la famille sauvée dans l'avalanche. Ils nous ont alors donné plein de bonnes choses !

Pendant que Caroline faisait sa sieste l'après-midi, je n'ai pas pu résister à l'odeur alléchante : j'ai attrapé les 3 saucissons bien empaquetés qui étaient sur la table.

Tellement délicieux que ça valait la peine d'être autant puni après les avoir pris !

Je t'avais dit que je pouvais faire de grosses bêtises parfois...

Les astuces de Fjord en montagne :

N'OUBLIE PAS !

Tu n'as que 15 minutes pour survivre à une avalanche, cette rivière de neige qui descend de la montagne.

L'odeur d'une personne ensevelie sous le manteau neigeux peut mettre entre 20 et 30 minutes par mètre de neige pour atteindre la surface.

Sois toujours prudent en montagne et ne prends aucun risque.

123

Mais quelle sera notre prochaine aventure ?

FIN

Petit dictionnaire en images :

 Avalanche

 Traîneau de secours

 Dameuse

 Tire-fesses / Téléski

 Télésiège

 Télécabine

Utilise ces images pour deviner ce que signifient ces mots-clés.

Manteau neigeux

Station Météo

Usine à neige

Canon à neige

Opérateur

Musher

Les astuces de Fjord en montagne :

QUAND TU PARS AUX SPORTS D'HIVER, N'OUBLIE PAS :

Les réflecteurs Recco® aident les professionnels du sauvetage en montagne à te détecter sous la neige.

Ton casque

Tes lunettes de soleil ou ton masque de ski

De la crème solaire

Demande à la personne qui t'accompagne d'inscrire ton nom et son numéro de téléphone sur une carte. Garde-la bien dans une poche intérieure juste au cas où tu te perdrais. Les pisteurs secouristes seront heureux de l'appeler pour toi !

Des gants ou des moufles

Des vêtements chauds et adaptés, et un encas dans la poche.

10 RÈGLES FIS DE BONNE CONDUITE POUR LES SKIEURS ET LES SNOWBOARDERS

Créées par la Fédération Internationale de Ski (FIS)
https://www.fis-ski.com

1. RESPECTE la montagne et ceux qui la partagent avec toi.

2. MAÎTRISE ta vitesse et ton comportement.

3. CHOISIS TA TRAJECTOIRE, en fonction de ceux qui skient en-dessous de toi.

4. DÉPASSE avec suffisamment de largeur.

5. LE CROISEMENT des pistes est le premier endroit où arrivent des collisions et accidents graves. Sois prudent et fais attention en traversant la piste.

6. SI TU VEUX FAIRE UNE PAUSE, arrête-toi sur le BORD de la piste et non en plein milieu ! Souviens-toi que tu dois être VISIBLE par tous.

7. Si tu ne veux plus skier, monte ou descends en marchant sur le BORD de la piste.

8. RESPECTE TOUTES LES INFORMATIONS présentes sur les pistes. Si un panneau te demande de ralentir, alors fais-le !

9. EN CAS D'ACCIDENT : plante tes skis en croix au-dessus de la personne qui est blessée pour la protéger et alerte les pisteurs secouristes de l'endroit où a eu lieu l'accident.

10. SI TU CAUSES UN ACCIDENT sans être blessé, tu dois en informer les pisteurs secouristes et donner tes coordonnées, comme les autres personnes impliquées dans l'accident, pour des raisons d'assurance.

Apprends bien les règles FIS du Code de responsabilité en montagne avant d'aller dans une station de ski. Tu pourras ainsi mieux t'amuser en toute sécurité...

AMUSE-TOI BIEN SUR LES PISTES !

Souviens-toi de la devise de Fjord :

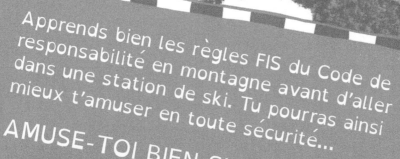

Apprends, explore ET AMUSE-TOI !

PS : J'espère que ça t'a plu d'être guidé à travers mon monde enneigé et que tu as appris plein de choses ! Peut-être apprendras-tu quelques astuces utiles à tes parents pour vous garder en sécurité là-haut sur les montagnes toute blanches.

Suis mes aventures sur Instagram @fjordsar

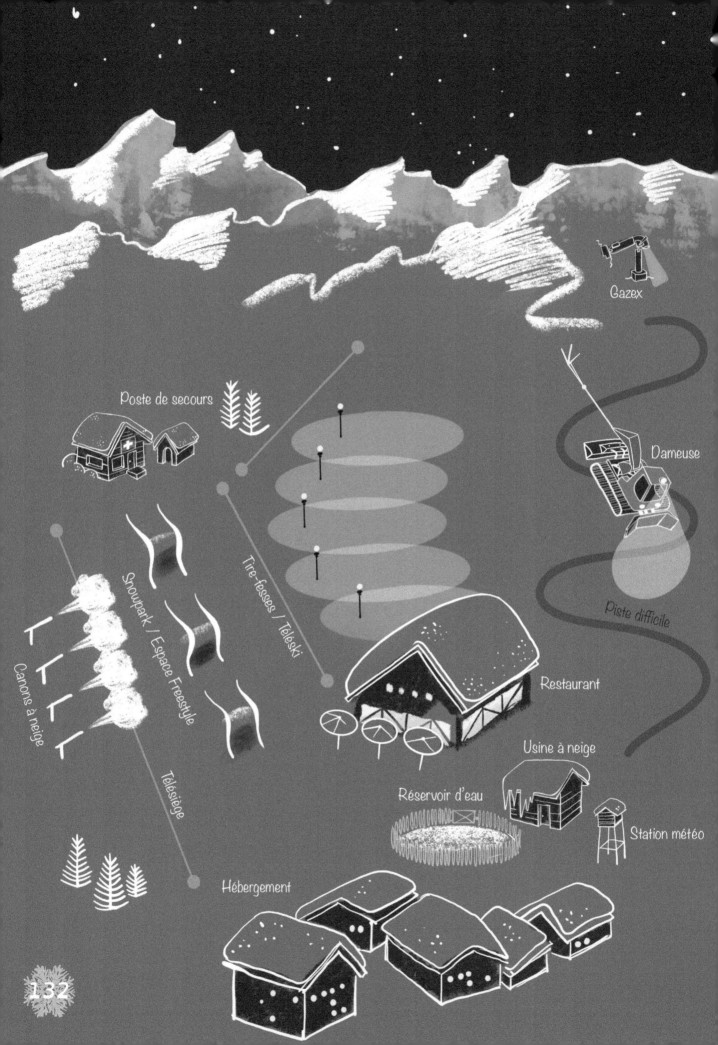

Gazex

Dameuse

Poste de secours

Tire-fesses / Téléski

Piste difficile

Snowpark / Espace Freestyle

Canons à neige

Télésiège

Restaurant

Usine à neige

Réservoir d'eau

Station météo

Hébergement

132

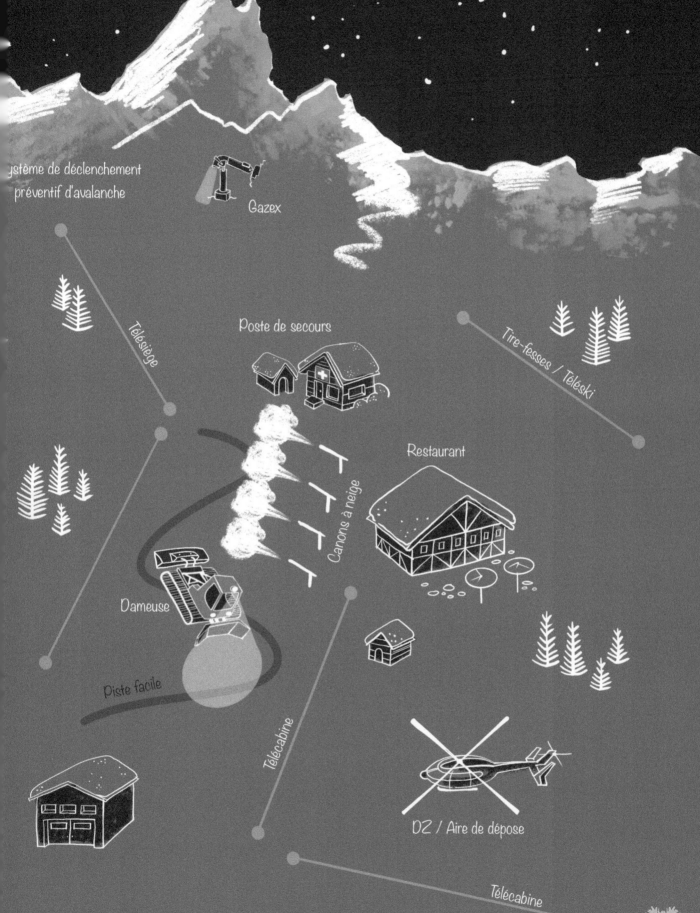

Système de déclenchement préventif d'avalanche

Gazex

Poste de secours

Tire-fesses / Téléski

Télésiège

Restaurant

Canons à neige

Dameuse

Piste facile

Télécabine

D2 / Aire de dépose

Télécabine

133

Un grand merci aux sponsors et à toutes et tous pour leur soutien.

Chaque forme de flocon est unique. Pourtant, ils se créent tous à partir d'une minuscule particule de poussière, de pollen ou de cendre à laquelle ils s'accrochent pour grandir en une forme hexagonale (6 côtés) unique et magnifique.

RC

CG

CT

SW

CA

LB

RD

ED

RC

AW

BA

NE

CCC

BS

CS

SO

AB

AM

AH

DM

CE

MS

RB

LC

AE

AP

SM

FB

Chaque flocon de neige porte les initiales de celles et ceux qui ont permis à ce livre fantastique d'exister !

JE

134

L'achat de « Mission montagne pour Fjord ! » aidera à éduquer les plus jeunes aux plaisirs de la montagne. Une partie des bénéfices sera reversée à notre œuvre de bienfaisance Fjordsar CIC.

FJORDSAR CIC
apprends • explore • amuse-toi

Liste pour l'Aventure avec Fjord

Note ici tout ce dont tu as besoin pour ta prochaine aventure sur la neige (et qui sera aussi utile pour celle ou celui qui t'accompagne !)

Lightning Source UK Ltd.
Milton Keynes UK
UKHW050450060123
414889UK00003B/91